AI인간 vs 보통인간

발 행 | 2024년 05월 29일

저 자 | 조동신 (4628c@naver.com)

펴낸이 | 한건희

펴낸곳 | 주식회사 부크크

출판사등록 | 2014.07.15 (제2014-16호)

주 소 | 서울특별시 금천구 가산디지털1로 119 SK트윈타워 A동 305호

전 화 | 1670-8316

이메일 | info@bookk.co.kr

ISBN | 979-11-410-8720-3

www.bookk.co.kr

AI인간 vs 보통인간

작가 소개

멋쟁이사자 블록체인스쿨 1기 팀장

게임, 음악 NFT 프로젝트 총괄책임

상상랜드 커뮤니티 AI강사

서문

인류는 오랜 시간 동안 기술의 발전을 통해 문명을 발전시켜왔습니다. 농업 혁명, 산업 혁명, 정보화 혁명 등을 거치며 인간의 생활 양식은 급격하게 변화했고, 그에 따라 인간의 삶의 질도 비약적으로 향상되었습니다. 그러나 이러한 변화 중에서도 인공지능(AI)의 등장은 그 어떤 혁명보다도 인간 사회에 큰 충격을 주고 있습니다. AI는 단순한 도구 이상의 역할을 하며, 인간의 지능을 대체하거나 보완할 수 있는 가능성을 제시하고 있습니다. 이러한 맥락에서 우리는 "AI 인간 vs 보통 인간"이라는 주제를 심도 있게 탐구하고자 합니다.

본 책은 AI 인간과 보통 인간의 비교를 통해 우리가 직면하게 될 사회적, 윤리적, 경제적 문제들을 탐구합니다. AI 인간이란, 인공지능 기술을 기반으로 한 인간형 로봇이나, 인간의 능력을 뛰어넘는 지능을 가진 컴퓨터 시스템을 의미합니다. 보통 인간은 그에 반해, 우리가 일반적으로 생각하는 생물학적 인간을 의미합니다. 이 두 개체 간의 비교를 통해 우리는 미래 사회에서의 인간의 역할, AI의 가능성과 한계, 그리고 우리가 준비해야 할 것들에 대해 고민할 수 있을 것입니다.

AI 인간의 개념은 이미 오랜 시간 동안 공상과학 소설이나 영화에서 다루어져 왔습니다. 예를 들어, 아이작 아시모프의 로봇 시리즈나 스탠리 큐브릭의 영화

"2001: 스페이스 오디세이"에서 AI는 인간과 상호작용하며 다양한 문제를 해결하거나, 때로는 인간에게 위협이 되기도 했습니다. 이러한 상상력은 현대 기술의 발전과 맞물려 현실로 다가오고 있습니다. AI 기술은 이제 단순한 계산기나 검색 엔진을 넘어, 인간과 유사한 사고 능력을 갖춘 시스템으로 발전하고 있습니다.

AI 인간과 보통 인간의 비교는 단순한 기술적 문제를 넘어, 철학적, 윤리적 질문을 제기합니다. 인간의 지능이란 무엇인가? 우리는 인간과 기계를 어떻게 구분할 것인가? AI가 인간보다 더 높은 지능을 갖추게 되었을 때, 우리는 이를 어떻게 받아들일 것인가? 이러한 질문들은 단순한 호기심을 넘어, 우리의 삶과 사회 구조를 근본적으로 변화시킬 수 있는 중요한 문제들입니다. 본 책에서는 AI 인간과 보통 인간의 비교를 다양한 측면에서 다룰 것입니다.

첫째, 인공지능 기술의 발전과정과 현재의 수준을 살펴봅니다. 둘째, AI 인간이 보통 인간과 어떻게 다른지, 그 차이점을 기술적, 인지적, 사회적 측면에서 분석합니다. 셋째, AI 인간의 도입이 사회에 미치는 영향을 경제적, 윤리적, 법적 관점에서 고찰합니다. 마지막으로, 우리는 이러한 변화에 대응하기 위해 우리가 준비해야 할 것들에 대해 논의할 것입니다.

AI 인간 vs 보통 인간의 주제는 단순히 미래의 기술을 상상하는 것을 넘어, 현재 우리가 직면하고 있는 문제들을 해결하는 데에도 중요한 시사점을 제공합니다. AI 기술의 발전은 우리의 생활을 편리하게 할 수 있지만, 동시에 우리가 준비되지 않은 문제들을 초래할 수도 있습니다. 따라서 우리는 AI와 인간의 관계를 깊이 이해하고, 이를 바탕으로 미래를 준비해야 할 것입니다.

이 책이 AI 인간과 보통 인간의 비교에 대해 깊이 있는 통찰을 제공하고, 독자들이 미래 사회에 대한 준비를 하는 데 도움이 되기를 바랍니다. 또한, 이 책을 통해 우리는 AI와 인간이 공존할 수 있는 방향을 모색하고, 보다 나은 미래를 만들어 나가는 데 기여할 수 있을 것입니다.

1장

인공지능 기술의 발전과 현재 수준

이 책의 첫 장에서는 AI 기술의 발전 과정을 역사적 맥락에서 조명하고, 현재의 기술 수준과 그 응용 분야들을 상세히 분석하고자 한다. 또한, AI 기술이 앞으로 나아갈 방향과 그 잠재적인 영향력에 대해서도 논의할 것이다. 이를 통해 독자들이 AI의 현재 위치를 명확히 이해하고, 향후 발전 가능성을 전망할 수 있도록 돕고자 한다.

AI는 이제 시작에 불과하다. 우리는 AI가 가져올 거대한 변화를 마주할 준비를 해야 한다. 이 장을 통해 독자들이 AI의 발전 과정과 현재 수준을 깊이 있게 이해하고, 앞으로 다가올 변화에 대비할 수 있기를 바란다.

인공지능의 진화 역사적 발자취

인류는 오랫동안 지능을 모방하고자 하는 꿈을 꾸어왔다. 이 꿈은 고대 신화에서부터 현대의 과학기술에 이르기까지 다양한 형태로 나타났다. 인공지능(AI)은 현재 우리가 살고 있는 세계에서 중요한 역할을 하고 있으며, 그 발전 과정은 흥미롭고도 혁신적이다. 이 장에서는 인공지능 기술의 발전 과정을 고대부터 현대까지 상세히 살펴보고 현재의 수준을 평가해볼 것이다.

고대의 인공지능: 탈로스

인공지능의 역사는 생각보다 훨씬 오래되었다. 고대 그

리스 신화에는 탈로스(Talos)라는 청동으로 된 기계 인간이 등장한다. 탈로스는 크레타섬을 지키기 위해 탈로스는 고대 그리스 신화에서 그리스 기술과 상상력의 정수를 보여주는 독특한 존재로, 그의 이야기는 그리스 신화의 다양한 버전에 따라 다르게 전해진다. 탈로스는 주로 크레타 섬의 수호자로 묘사되며, 그의 기원과 역할, 최후는 모두 그리스인들의 문화와 가치관을 반영하고 있다.

창조의 배경

탈로스의 창조자는 대장장이 신 헤파이스토스이다. 헤파이스토스는 불과 금속의 신으로, 그의 뛰어난 대장장이 기술은 그리스 신화에서 중요한 역할을 한다. 그는 불완전함과 상처를 극복하고 탁월한 기술력으로 자신을 증명한 인물이다. 이러한 배경에서 탄생한 탈로스는 그리스 기술의 정수를 상징한다.

헤파이스토스는 청동을 사용하여 탈로스를 만들었고, 그의 몸에는 신비로운 '이코르'가 흐르게 했다. 이코르는 신들이 혈액으로, 탈로스에게 생명력을 불어넣는 역할을 했다. 그러나 이 생명력은 한 쪽 다리의 정맥에 있는 나사 하나로 봉인되어 있었다. 이 나사가 풀리면, 탈로스의 생명력은 사라지게 되어 있었다. 이 설정은 탈로스의 강력한 힘과 동시에 그의 치명적인 약점을 나타내는 중요한 요소였다.

크레타의 수호자

탈로스는 크레타 섬을 보호하는 수호자로서 중요한 임무를 맡았다. 그는 섬의 경계를 따라 하루에 세 번 순찰하며 침입자들을 감시하고 물리쳤다. 그의 거대한 청동 몸체는 거의 무적에 가까웠고, 그의 존재만으로도 침입자들에게 큰 위협이 되었다. 탈로스는 적을 발견하면 거대한 돌을 던지거나, 그의 몸을 불태워 적을 공격했다. 이러한 묘사는 탈로스가 단순한 경비원을 넘어, 실질적인 전투 능력을 가진 전사로서의 역할을 했음을 보여준다.

탈로스의 최후

탈로스의 이야기는 아르고호의 영웅들이 크레타 섬에 도착하면서 절정을 맞는다. 아르고호는 황금양모를 찾기 위해 항해하던 중 크레타 섬에 도착하게 되었다. 탈로스는 이들을 침입자로 간주하고 섬에 접근하지 못하도록 막으려 했다. 그러나 아르고호의 일행 중에는 마녀 메데이아가 있었다. 메데이아는 탈로스의 약점을 간파했고, 그의 정맥을 여는 방법을 알아냈다.

메데이아는 마법과 기만을 사용해 탈로스를 최면에 걸리게 한 후, 그의 정맥을 열어 이코르가 흘러나오게 했다. 탈로스는 그의 생명력을 잃고 결국 쓰러지게 되었다. 이 이야기의 다른 버전에서는 메데이아가 탈로스를 설득해 스스로 정맥을 열게 했다고도 한다. 어떤 버전이든, 탈로스의 최후는 그의 강력한 힘에도 불구하고

그의 치명적인 약점이 결국 그를 무너뜨렸음을 보여준
다.

탈로스의 상징적 의미

탈로스는 그리스 신화에서 단순한 거인이 아니라, 여러
상징적 의미를 지닌 존재로 해석된다. 그는 고대 그리
스의 기술적 능력을 상징하며, 동시에 인간의 한계를
보여주는 존재로 여겨진다. 그의 청동 몸체와 인공적인
생명력은 인간이 만들어낸 기술과 자연의 힘 사이의
긴장 관계를 나타낸다. 탈로스의 이야기는 고대 그리스
인들의 상상력과 창의성을 반영하며, 동시에 인간이 기
술과 자연의 조화를 이루기 위해 노력해야 하는 과제

를 상기시킨다.

탈로스가 인간에게 시사하는 바

탈로스의 이야기는 현대에도 많은 시사점을 준다. 첫째, 탈로스는 기술의 발전이 가져올 수 있는 잠재적인 위험을 상기시킨다. 그의 강력한 힘과 치명적인 약점은 우리가 새로운 기술을 개발할 때 그 기술이 가져올 수 있는 이점과 위험을 모두 고려해야 함을 나타낸다. 기술은 우리의 삶을 향상시킬 수 있지만, 그것이 잘못 사용되거나 통제되지 않으면 큰 위험을 초래할 수 있다. 둘째, 탈로스의 이야기는 인간의 창의성과 한계를 동시에 보여준다. 헤파이스토스는 그의 뛰어난 기술력으로 탈로스를 창조했지만, 그 창조물은 완벽하지 않았다.

탈로스의 치명적인 약점은 인간이 만든 것들이 언제나 완벽할 수 없음을 상기시킨다. 우리는 끊임없이 개선하고 발전해야 하며, 우리의 한계를 인식하고 그것을 극복하기 위해 노력해야 한다.

셋째, 탈로스의 이야기는 기만과 지혜의 중요성을 강조한다. 메데이아는 탈로스를 물리치기 위해 기만과 지혜를 사용했다. 이는 힘만으로는 모든 문제를 해결할 수 없으며, 지혜와 전략이 때로는 더 중요한 역할을 할 수 있음을 보여준다. 이는 현대 사회에서도 중요한 교훈으로, 복잡한 문제를 해결하기 위해서는 창의적이고 지혜로운 접근이 필요함을 시사한다.

결론적으로, 탈로스는 고대 그리스 신화에서 독특하고 다층적인 캐릭터로, 그의 이야기와 전설은 오늘날까지도 흥미롭고 중요한 신화적 소재로 남아 있다. 그의 창조와 파괴, 그리고 그의 임무는 고대 그리스인들의 세계관과 기술에 대한 관점을 반영하며, 현대에도 많은 예술과 문학 작품에서 영감을 주고 있다. 탈로스의 전설은 단순한 신화적 이야기 그 이상으로, 인간의 창의성과 기술적 도전, 그리고 그 한계에 대한 깊은 통찰을 제공한다.

인공지능의 기원

고대 신화에서 기계 인간의 개념이 시작되었지만, 인공지능의 과학적 연구는 20세기에 들어서야 본격적으로 시작되었다. 인공지능이라는 용어는 1956년 다트머스 회의에서 처음으로 사용되었다. 이 회의는 존 매카시(John McCarthy), 마빈 민스키(Marvin Minsky), 클로드 섀넌(Claude Shannon) 등 당시의 선구적인 과학자들이 모여 인공지능 연구의 가능성과 방향을 논의한 자리였다. 그들은 기계가 인간처럼 사고하고 학습하며 문제를 해결할 수 있는 방법을 찾기 위해 다양한 접근법을 제안했다.

초기 연구와 한계

1950년대와 1960년대에는 기계 학습, 자연어 처리, 게임 이론 등 다양한 분야에서 연구가 활발히 진행되었다. 앨런 튜링(Alan Turing)은 그의 논문 "Computing Machinery and Intelligence"에서 '튜링 테스트'를 제안하며, 기계가 지능을 가질 수 있는지에 대한 철학적 질문을 던졌다. 튜링 테스트는 기계가 인간과 구별되지 않는 수준의 대화를 할 수 있는지를 평가하는 시험으로, 오늘날에도 여전히 인공지능의 지능 수준을 평가하는 데 사용된다.

그러나 초기 연구는 여러 한계에 부딪혔다. 당시의 컴퓨터는 매우 기초적인 연산 능력만을 갖추고 있었으며, 데이터 저장 용량과 처리 속도도 현재와 비교할 수 없을 정도로 낮았다. 이러한 기술적 제한으로 인해 인공지능 연구는 기대에 미치지 못하는 성과를 내는 경우가 많았다. 그럼에도 불구하고 이 시기의 연구는 인공지능의 기본 개념과 이론적 토대를 마련하는 데 중요한 역할을 했다.

지식 표현과 전문가 시스템

1970년대와 1980년대에는 지식 표현과 전문가 시스템이 인공지능 연구의 주요 주제로 떠올랐다. 지식 표현은 기계가 인간의 지식을 이해하고 사용할 수 있도록 정보를 구조화하는 방법을 연구하는 분야다. 전문가 시스템은 특정 분야에서 인간 전문가의 지식을 컴퓨터 프로그램에 내장하여 문제를 해결하는 시스템으로, 의료, 금융, 엔지니어링 등 다양한 분야에서 사용되었다. 예를 들어, MYCIN이라는 전문가 시스템은 감염병 진단과 치료에 활용되었으며, 이는 인공지능이 실제 문제 해결에 적용된 초기 사례 중 하나다.

신경망과 기계 학습의 부활

1990년대와 2000년대 초반에는 신경망과 기계 학습이 다시 주목받기 시작했다. 신경망은 인간 뇌의 뉴런 구조를 모방한 것으로, 복잡한 패턴 인식과 학습에 강점을 가지고 있다. 초기의 신경망 연구는 제한된 계산 능력과 데이터 부족으로 큰 성과를 내지 못했으나, 1990년대 후반부터는 컴퓨터 성능의 향상과 대규모 데이터셋의 등장으로 인해 다시 관심을 받게 되었다.

특히 2000년대 중반에는 딥러닝 이라는 개념이 도입되면서 인공지능 연구에 큰 변화를 가져왔다. 딥러닝은 다층 신경망을 이용해 데이터에서 복잡한 패턴을 학습하는 방법으로, 이미지 인식, 음성 인식, 자연어 처리 등 다양한 분야에서 획기적인 성과를 거두었다. 예를 들어, 구글의 딥마인드(DeepMind) 팀이 개발한 알파고

(AlphaGo)는 바둑에서 한국의 초고수 이세돌 기사를 이기며 딥러닝의 가능성을 전 세계에 알렸다.

첨단 AI의 현주소 어디까지 왔나

인공지능(AI)은 더 이상 미래의 기술이 아니다. 이제 AI 는 우리의 일상생활과 산업 전반에 깊이 스며들어 있으며, 그 진화 속도는 점점 더 빨라지고 있다. 우리는 AI가 이미 얼마나 많은 분야에서 중요한 역할을 하고 있는지, 그리고 앞으로 어디까지 발전할 수 있을지를 면밀히 살펴볼 필요가 있다.

첨단 AI 기술 중에서도 기계학습, 자연어 처리, 컴퓨터 비전, 로보틱스는 특히 주목받는 분야다. 기계학습은 데이터를 기반으로 패턴을 학습하고 예측하는 기술로,

의료 진단, 금융 예측, 개인화된 추천 시스템 등 다양한 응용 분야에서 혁신을 주도하고 있다. 자연어 처리는 언어를 이해하고 생성하는 능력을 포함하며, 챗봇, 음성 비서, 자동 번역 시스템 등에서 그 진가를 발휘하고 있다. 컴퓨터 비전은 이미지를 분석하고 이해하는 기술로, 자율주행차, 보안 시스템, 의료 영상 분석 등에서 중요한 역할을 하고 있다. 로보틱스는 물리적 세계에서 자동화된 작업을 수행하는 기술로, 제조업, 의료, 서비스 산업 등에서 생산성과 효율성을 극대화하고 있다.

기계 학습

기계 학습은 데이터에서 패턴을 발견하고 이를 바탕으로 예측 모델을 만드는 기술이다. 지도 학습, 비지도 학습, 강화 학습 등 다양한 접근법이 있으며, 각각의 방법은 특정한 문제 유형에 적합하다. 예를 들어, 지도 학습은 대규모 라벨링 데이터셋을 활용해 이미지 분류, 음성 인식 등에서 높은 성능을 보인다. 비지도 학습은 데이터의 숨겨진 구조를 찾는 데 사용되며, 강화 학습

은 에이전트가 환경과 상호작용하며 최적의 행동을 학

습하는 데 초점을 맞춘다.

자연어 처리

자연어 처리는 인간의 언어를 이해하고 생성하는 기술

로, 텍스트 분석, 번역, 대화 시스템 등에 응용된다. 최

근에는 트랜스포머(transformer) 모델을 기반으로 한

GPT(Generative Pre-trained Transformer)와 같은 대형

언어 모델이 개발되며, 자연어 처리 분야에서 혁신적인
성과를 거두고 있다. 이러한 모델은 방대한 텍스트 데
이터를 학습하여 인간과 유사한 수준의 언어 이해와
생성 능력을 보여준다.

컴퓨터 비전

컴퓨터 비전은 이미지를 이해하고 분석하는 기술로, 얼
굴 인식, 객체 검출, 자율 주행 등 다양한 응용 분야에

서 사용된다. 딥러닝 기술의 발전으로 인해 컴퓨터 비전 시스템의 정확도와 효율성이 크게 향상되었으며, 이는 자율 주행차, 보안 시스템, 의료 영상 분석 등에서 중요한 역할을 하고 있다.

로보틱스

로보틱스는 물리적 세계에서 작업을 수행하는 로봇을 설계하고 제어하는 기술이다. 인공지능은 로봇이 복잡

한 환경에서 자율적으로 움직이고, 사람과 상호작용하며, 다양한 작업을 수행할 수 있도록 하는 데 중요한 역할을 한다. 최근에는 소프트 로봇, 협동 로봇, 휴머노이드 로봇 등 다양한 형태의 로봇이 개발되고 있으며, 이는 제조업, 의료, 서비스업 등 여러 분야에서 활용되고 있다.

분야별 인공지능을 활용한 최고의 기업

의료 분야

IBM Watson Health (IBM 왓슨 헬스)

사용 사례: 암 진단 및 치료

특징: Watson Health는 환자의 유전자 데이터를 분석하여 맞춤형 치료 계획을 제안하고 임상 시험을 진행하는 혁신적인 의료 솔루션이다. 이 시스템은 다음과 같은 방식으로 작동한다.

먼저, 환자가 병원을 방문하면 유전자 검사와 관련된 샘플을 채취한다. 이 샘플은 Watson Health의 분석 시스템으로 전송되어 환자의 유전자 데이터를 심층 분석한다. 유전자 분석을 통해 특정 질병에 대한 유전적 취약성, 약물 반응성, 및 개인별 특성을 파악할 수 있다.

이렇게 수집된 유전자 데이터는 Watson Health의 고도화된 인공지능과 머신러닝 알고리즘에 의해 분석된다. 분석 결과는 환자에게 최적화된 맞춤형 치료 계획을 제안하는 데 사용된다. 예를 들어, 특정 항암제가 환자의 유전자 프로필에 얼마나 효과적인지, 어떤 약물이 부작용을 최소화할 수 있는지를 예측할 수 있다.

제안된 치료 계획은 의료진에게 제공되어 환자의 개인적 특성과 질병 상태에 맞춘 치료가 가능하게 한다. 이 맞춤형 접근 방식은 환자의 치료 효과를 극대화하고 부작용을 최소화하는 데 큰 도움이 된다.

또한, Watson Health는 환자의 유전자 데이터와 임상 데이터를 바탕으로 적합한 임상 시험을 추천한다. 이는 환자가 새로운 치료법이나 약물에 접근할 수 있는 기회를 제공하며, 임상 시험 참여를 통해 더 나은 치료 결과를 도출할 수 있도록 돕는다.

Watson Health의 이러한 기능은 환자 맞춤형 의료를 실현하는 데 중요한 역할을 한다. 유전자 데이터를 기반으로 한 분석과 맞춤형 치료 계획 제안, 그리고 임상 시험 추천을 통해 의료진은 환자 개개인에게 가장 적합한 치료를 제공할 수 있다. 이는 궁극적으로 치료 효율성을 높이고 환자의 삶의 질을 향상시키는 데 기여한다.

Tempus (템퍼스)

사용 사례: 맞춤형 암 치료

특징: 유전자 및 임상 데이터를 분석하여 개인화된 치료를 제공하고, 데이터 기반의 치료 결정을 지원하는 시스템은 현대 의학의 중요한 혁신이다. 이 시스템은 각 환자의 유전자 정보와 임상 데이터를 종합적으로 분석하여 최적의 치료 방안을 제시한다.

환자가 병원을 방문하면, 첫 단계로 유전자 검사와 임상 검사가 이루어진다. 유전자 검사는 환자의 DNA를 분석하여 특정 질병에 대한 유전적 취약성을 파악하고, 치료에 대한 반응을 예측하는 데 사용된다. 임상 데이터는 환자의 병력, 현재 건강 상태, 생활 습관 등을 포함한다.

수집된 유전자 및 임상 데이터는 고도로 정교한 분석 소프트웨어로 전송된다. 이 소프트웨어는 최신 인공지능 및 머신러닝 알고리즘을 활용하여 데이터를 분석하고, 환자에게 최적화된 치료 방안을 도출한다. 예를 들어, 특정 약물에 대한 반응을 예측하여 부작용을 최소화하고 효과를 극대화할 수 있다.

분석 결과는 의료진에게 실시간으로 제공된다. 이를 통해 의료진은 환자의 유전자 특성과 임상 데이터를 바탕으로 개인화된 치료 계획을 수립할 수 있다. 예를 들어, 암 치료의 경우, 환자의 유전자 변이에 따라 맞춤형 항암제를 선택하거나, 특정 유전자 변이를 표적으로 하는 치료법을 적용할 수 있다.

또한, 이 시스템은 데이터 기반의 치료 결정을 지원한다. 환자의 데이터를 지속적으로 모니터링하고 분석하여 치료의 효과를 평가하고, 필요한 경우 즉각적으로 치료 방안을 조정할 수 있다. 이러한 방식으로 치료의 정확성과 효율성을 높일 수 있으며, 환자의 예후를 개선하는 데 크게 기여할 수 있다.

결론적으로, 유전자 및 임상 데이터를 분석하여 개인화된 치료를 제공하고, 데이터 기반의 치료 결정을 지원하는 시스템은 의료 분야의 패러다임을 변화시키고 있다. 이를 통해 더욱 정밀하고 효과적인 치료가 가능해졌으며, 환자 개개인의 특성에 맞춘 맞춤형 의료 서비스를 제공할 수 있게 되었다.

Viz.Ai (비즈.AI)

사용 사례: 뇌졸중 진단

특징: CT 스캔 이미지를 실시간으로 분석하여 뇌졸중을 조기에 발견하고 치료 팀에게 즉시 알림을 보내는 시스템은 현대 의료의 혁신적인 기술이다. 이 시스템은 환자가 병원에 도착하여 CT 스캔을 받는 순간부터 작동한다. CT 스캔 이미지는 디지털 형식으로 저장되어 인공지능 기반의 분석 소프트웨어로 전송된다. 소프트웨어는 실시간으로 이미지를 분석하여 뇌졸중의 징후를 감지한다. 뇌출혈, 혈전, 허혈성 병변 등 다양한 뇌졸중 형태를 인식하도록 훈련된 이 소프트웨어는 이상 징후를 발견하면 즉각적으로 경고를 발송한다. 경고는 분석 결과와 함께 환자의 상태와 CT 이미지를 포함하여 치료 팀에게 전달된다. 치료 팀은 이러한 알림을 실시간으로 받아 신속하게 대응할 수 있다. 알림은 병원 내 컴퓨터 시스템, 의료진의 스마트폰, 태블릿 등 다양한 디지털 디바이스로 전송된다. 이를 통해 의료진은

즉시 환자의 상태를 파악하고 필요한 조치를 취할 수 있다. 이러한 시스템은 뇌졸중 환자의 조기 진단과 신속한 치료를 가능하게 하여 생명을 구하고 후유증을 최소화하는 데 큰 기여를 한다. AI 기술과 의료진의 협력을 통해 정밀하고 효율적인 의료 서비스를 제공할 수 있다.

금융 분야

JPMorgan Chase (JP모건 체이스)

사용 사례: 사기 탐지 및 계약 분석

특징: "COiN" 플랫폼은 법률 문서를 분석하여 중요한 정보를 추출하고, 거래 패턴을 분석하여 사기 가능성을 탐지하는 혁신적인 기술을 제공한다. 이 플랫폼은 최신 인공지능과 기계 학습 알고리즘을 활용하여 법률 및 금융 분야에서의 데이터 분석을 자동화하고, 효율성을 극대화한다.

먼저, COiN 플랫폼은 방대한 양의 법률 문서를 처리할 수 있다. 계약서, 소송 문서, 규정 문서 등 다양한 법률 문서를 분석하여 중요한 조항, 조건, 기한, 당사자 정보 등을 자동으로 추출한다. 이 과정에서 자연어 처리 (NLP) 기술이 사용되며, 이를 통해 문서의 의미와 맥락을 정확하게 이해하고, 필요한 정보를 빠르고 정확하게 도출할 수 있다. 이는 법률 전문가들이 문서 검토에 소요하는 시간을 크게 줄여주고, 효율적인 업무 처리를 가능하게 한다.

또한, COiN 플랫폼은 금융 거래 데이터를 분석하여 사기 가능성을 탐지하는 데 탁월한 성능을 발휘한다. 다양한 거래 패턴을 분석하고, 비정상적인 활동을 식별하기 위해 기계 학습 알고리즘을 사용한다. 예를 들어, 정상적인 거래 패턴과 비교하여 의심스러운 거래를 탐지하거나, 특정 계좌에서 발생하는 불규칙한 행동을 포착할 수 있다. 이러한 분석을 통해 금융 기관은 사기 행위를 조기에 발견하고, 적절한 대응 조치를 취할 수 있다.

COiN 플랫폼의 거래 패턴 분석 기능은 단순히 사기 탐지에 그치지 않고, 전반적인 금융 리스크 관리에도 큰 도움을 준다. 플랫폼은 지속적으로 데이터를 학습하여 새로운 사기 기법이나 패턴을 인식하고, 실시간으로 경고를 발송한다. 이는 금융 기관이 신속하게 대응하여 사기 피해를 최소화하고, 고객의 자산을 보호하는 데 중요한 역할을 한다.

결론적으로, COiN 플랫폼은 법률 문서와 금융 거래 데이터를 분석하여 중요한 정보를 추출하고, 사기 가능성을 탐지하는 혁신적인 솔루션을 제공한다. 이를 통해 법률 및 금융 기관은 업무 효율성을 높이고, 리스크를 효과적으로 관리할 수 있다. COiN 플랫폼의 도입은 데이터 분석의 정확성과 속도를 크게 향상시키며, 법률 및 금융 서비스의 품질을 한층 높이는 데 기여한다.

Ant Financial (알리바바 그룹)

사용 사례: 신용 평가 및 맞춤형 금융 상품 제공

특징: 다양한 데이터를 분석하여 대출 신청자의 신용도를 평가하고, 개인화된 금융 서비스를 제공하는 시스템은 현대 금융 서비스의 혁신을 이끄는 중요한 요소이다. 이 시스템은 대출 신청자의 재정 상태, 신용 기록, 소득 수준, 소비 패턴 등 다양한 데이터를 종합적으로 분석하여, 정확한 신용 평가를 수행한다. 이를 통해 금융 기관은 각 개인의 신용도를 보다 정밀하게 평가하고, 이를 기반으로 최적화된 금융 서비스를 제공할 수 있다.

우선, 시스템은 대출 신청자의 광범위한 데이터를 수집

하고 분석한다. 여기에는 신용 카드 사용 내역, 대출 상환 기록, 은행 거래 내역, 소득 및 지출 패턴, 고용 정보 등이 포함된다. 이러한 데이터를 통해 신청자의 금융 습관과 재정 건전성을 종합적으로 평가할 수 있다. 기계 학습 알고리즘과 빅 데이터 분석 기술을 활용히어, 이 데이터에서 유의미한 패턴과 관계를 추출하고, 신용 평가 모델을 구축한다.

이 신용 평가 모델은 각 신청자의 신용도를 점수화하여, 대출 승인 여부를 결정하는 데 중요한 역할을 한다. 점수화된 신용도는 대출 한도, 이자율, 상환 조건 등 다양한 금융 서비스 조건을 개인화하는 데 사용된다. 예를 들어, 높은 신용 점수를 받은 신청자는 낮은 이자율과 더 유리한 대출 조건을 제공받을 수 있으며, 반대로 신용 점수가 낮은 신청자는 더 높은 이자율이나 추가 보증을 요구받을 수 있다.

이와 같은 개인화된 금융 서비스 제공은 고객 만족도를 높이는 데 큰 기여를 한다. 각 개인의 재정 상황과 필요에 맞춘 금융 상품을 제안함으로써, 고객은 자신의 상황에 가장 적합한 금융 서비스를 이용할 수 있게 된다. 또한, 금융 기관은 고객의 신뢰를 얻고, 장기적인 고객 관계를 구축할 수 있다.

다양한 데이터를 기반으로 한 신용 평가와 개인화된 금융 서비스 제공은 금융 기관에도 많은 이점을 가져다준다. 신용 평가의 정확도가 높아짐에 따라, 대출 부실율이 감소하고, 안정적인 수익을 확보할 수 있다. 또한, 고객 맞춤형 서비스 제공을 통해 경쟁력을 강화하고, 시장 점유율을 확대할 수 있다.

따라서, 다양한 데이터를 분석하여 대출 신청자의 신용도를 평가하고, 개인화된 금융 서비스를 제공하는 시스템은 금융 서비스의 질을 높이고, 고객과 금융 기관 모두에게 유익한 결과를 제공하는 중요한 기술이다. 이는 금융 산업의 디지털 전환을 촉진하며, 보다 효율적이고 공정한 금융 서비스를 가능하게 한다.

Zest AI (제스트 AI)

사용 사례: 대출 승인 및 리스크 평가

특징: 이 시스템은 다양한 데이터 소스를 활용하여 대출 신청자의 재정 상태, 신용 기록, 소득 수준 등 다양한 요소를 분석한다. 기계 학습 알고리즘은 이러한 데이터를 바탕으로 신청자의 신용 리스크를 평가하고, 대출 승인 여부를 결정하는 데 필요한 예측 모델을 생성한다.

먼저, 기계 학습 알고리즘은 대출 신청자의 과거 신용 기록, 현재 재정 상황, 직업 안정성, 그리고 기타 관련 데이터를 수집하고 분석한다. 이러한 데이터는 대출 신청자가 기존에 지닌 채무 상환 이력, 신용 점수, 월 소득, 고용 기간 등을 포함한다. 알고리즘은 이 데이터를 학습하여, 다양한 패턴과 관계를 식별하고, 신청자의 신용 리스크를 정확하게 평가할 수 있는 모델을 구축한다.

이 모델은 신청자의 신용 리스크를 점수화하여, 대출 승인 여부를 결정하는 데 활용된다. 예를 들어, 기계 학습 모델은 특정 점수 이상의 신청자에게 대출을 승인하고, 그 이하의 신청자에게는 거절하거나 추가 보증을 요구할 수 있다. 이는 기존의 단순한 신용 평가 방식에 비해 훨씬 더 정교하고 정확한 평가를 가능하게 한다.

기계 학습 알고리즘을 통한 신용 리스크 평가의 주요 이점 중 하나는 자동화와 효율성이다. 대출 신청서를 수동으로 검토하는 대신, 알고리즘이 실시간으로 데이터를 처리하고 평가를 수행할 수 있어, 대출 승인 과정이 훨씬 빠르고 효율적으로 이루어진다. 또한, 기계 학습 모델은 지속적으로 새로운 데이터를 학습하여, 변화하는 경제 상황과 신용 환경에 맞추어 평가 기준을 업데이트할 수 있다.

이와 같은 시스템은 대출 기관에게도 큰 이점을 제공한다. 신용 리스크 평가의 정확도가 높아짐에 따라, 대출 부실율이 감소하고, 더 많은 안전한 대출을 승인할 수 있게 된다. 이는 대출 기관의 수익성을 높이고, 금융 시장의 안정성을 증대시키는 데 기여한다.

따라서, 기계 학습 알고리즘을 통해 대출 신청자의 신용 리스크를 평가하고 대출 승인 여부를 결정하는 시스템은 금융 산업의 혁신적인 변화를 이끌고 있다. 이는 대출 승인 과정을 더 공정하고 효율적으로 만들며, 금융 기관과 대출 신청자 모두에게 유익한 결과를 제공한다.

자연어 처리 분야(NLP)

OpenAI (오픈AI)

사용 사례: 고객 서비스 챗봇 및 가상 비서

특징: GPT-4 모델은 자연스럽고 정확한 대화를 제공하여 고객 문의에 실시간으로 응답하는 데 탁월한 성능을 발휘한다. 이 모델은 최신 인공지능 기술을 기반으로 하여 고객의 다양한 질문과 요청을 이해하고, 이에 적절하게 대응할 수 있다. GPT-4는 방대한 데이터로부터 학습한 언어 패턴을 바탕으로 자연스러운 문장을 생성하며, 사용자의 의도를 파악하여 정확한 정보를 제공한다. 이러한 특징 덕분에 고객 서비스 분야에서 GPT-4는 빠르고 효율적인 대응을 가능하게 하여, 고객 만족도를 높이고 기업의 서비스 품질을 향상시키는 데

기여한다.

실시간 응답 기능은 특히 고객이 필요한 정보를 즉각적으로 제공받을 수 있어, 문제 해결 시간을 단축하고 사용자 경험을 개선하는 데 중요한 역할을 한다. 예를 들어, 고객이 제품 사용법에 대해 질문하거나, 주문 상태를 확인하고자 할 때, GPT-4는 신속하고 정확한 답변을 통해 고객의 궁금증을 해소할 수 있다. 또한, 24시간 내내 운영되는 고객 지원 시스템을 통해 언제든지 고객 문의에 대응할 수 있어, 시간 제약 없이 지속적인 지원을 제공할 수 있다.

이와 같은 실시간 대화 응답 시스템은 고객과의 상호작용을 개인화하고, 더욱 친밀한 서비스 경험을 제공하는 데 기여한다. 고객의 이전 문의 내용과 선호도를 반영하여 맞춤형 답변을 제공함으로써, 고객은 자신이 존중받고 있다는 느낌을 받을 수 있다. 결과적으로, 이러한 자연스럽고 정확한 대화를 통해 고객의 신뢰를 얻고, 장기적인 관계를 구축하는 데 도움이 된다.

따라서 GPT-4 모델은 고객 서비스의 새로운 표준을 제시하며, 기업이 고객과의 소통을 더욱 효과적으로 할 수 있도록 지원한다. 이는 궁극적으로 기업의 경쟁력을 강회하고, 고객 만속도를 높여 비즈니스 성장을 촉진하는 중요한 요소로 작용할 것이다.

Google (구글)

사용 사례: 검색 엔진 최적화

특징: BERT 모델은 사용자 검색어의 맥락을 이해하여 더 관련성 높은 검색 결과를 제공하는 데 중요한 역할

을 한다. 기존의 검색 알고리즘은 주로 키워드 일치에 의존하여 결과를 도출했지만, BERT 모델은 문장 전체의 의미를 분석하여 사용자 의도를 보다 정확하게 파악할 수 있다. 이는 단순한 단어 매칭을 넘어, 검색어의 문맥과 뉘앙스를 이해함으로써 사용자가 실제로 찾고자 하는 정보에 더욱 가까운 결과를 제공할 수 있게 한다.

BERT 모델은 트랜스포머(Transformer) 아키텍처를 기반으로 하여, 문장 내의 각 단어가 서로 어떤 관계를 맺고 있는지를 깊이 있게 분석한다. 이를 통해 문장 구조와 의미를 파악하여 사용자의 검색 의도를 정확하게 이해할 수 있다. 예를 들어, 동일한 단어라도 문맥에 따라 다른 의미를 가질 수 있는데, BERT는 이러한 미묘한 차이를 구별하여 사용자에게 최적의 검색 결과를 제공한다.

사용자가 "미국에서 가장 큰 공원"이라는 검색어를 입력했을 때, BERT 모델은 단순히 "큰"과 "공원"이라는 키워드에 의존하지 않고, "미국"이라는 지리적 맥락과 "가장 큰"이라는 수식어의 중요성을 인식한다. 이를 통해 단순히 큰 공원의 목록이 아닌, 미국 내에서 면적이 가장 큰 특정 공원에 대한 정확한 정보를 제공할 수 있다.

이와 같은 맥락 이해 능력 덕분에 BERT 모델은 검색 정확도를 크게 향상시킨다. 사용자는 보다 정밀하고 관련성 높은 검색 결과를 얻을 수 있으며, 이는 정보 검색의 효율성을 높이고 사용자 경험을 개선하는 데 기여한다. 특히 복잡한 질문이나 구체적인 정보를 찾을 때, BERT 모델의 성능은 더욱 빛을 발한다.

따라서, BERT 모델은 사용자 검색어의 맥락을 깊이 있게 이해하여 보다 관련성 높은 검색 결과를 제공함으로써, 정보 검색 분야에서 혁신적인 변화를 이끌어내고 있다. 이는 검색 엔진의 정확도와 신뢰성을 높여, 사용자 만족도를 크게 향상시키는 중요한 요소로 작용한다.

Nuance Communications
(뉘앙스 커뮤니케이션즈)

사용 사례: 의료 기록 음성 인식

특징: 의사와 환자 간의 대화를 실시간으로 텍스트로 변환하여 의료 기록을 자동으로 작성하는 기술은 의료 현장에서 혁신적인 변화를 가져온다. 이 기술은 음성 인식 및 자연어 처리 알고리즘을 활용하여, 의사와 환

자가 주고받는 대화를 정확하게 텍스트로 변환한다. 이를 통해, 의료진은 환자와의 상담 내용을 일일이 기록할 필요 없이, 대화 내용을 실시간으로 문서화할 수 있다.

이 과정에서 사용되는 음성 인식 기술은 높은 정확도를 지향하며, 다양한 의료 용어와 환자의 증상 설명을 정확하게 인식하여 텍스트로 변환한다. 자연어 처리 알고리즘은 대화의 맥락을 이해하고, 중요한 정보를 추출하여 구조화된 형태로 의료 기록에 반영한다. 예를 들어, 환자가 증상을 설명하면, 시스템은 해당 증상과 관련된 의학적 정보를 자동으로 분류하고 기록한다.

이 기술의 도입으로 인해 의사들은 진료 시간 동안 환자에게 더 집중할 수 있으며, 기록 작업에 소요되는 시간을 줄일 수 있다. 이는 환자와의 상호작용을 개선하고, 더 나은 의료 서비스를 제공하는 데 기여한다. 또한, 자동화된 의료 기록 작성은 오류를 최소화하고, 일관된 기록을 유지할 수 있게 한다. 의료 기록의 일관성과 정확성은 환자의 진료 이력 관리와 후속 치료 계획 수립에 중요한 역할을 한다.

실시간 텍스트 변환 및 의료 기록 자동화 기술은 또한, 환자 상담 후 즉시 기록이 완료되므로, 의료진이 환자 데이터를 신속하게 검토하고 분석할 수 있다. 이는 진단과 치료 과정의 효율성을 높이며, 환자의 치료 결과를 향상시키는 데 도움이 된다. 또한, 의료 기록의 디지털화는 데이터 검색과 분석을 용이하게 하여, 의료 연구와 통계 분석에 있어서도 큰 이점을 제공한다.

따라서, 의사와 환자 간의 대화를 실시간으로 텍스트로 변환하여 의료 기록을 자동으로 작성하는 기술은 의료 현장에서 효율성과 정확성을 높이는 중요한 도구로 자리 잡고 있다. 이는 의료진의 업무 부담을 줄이고, 환자에게 더 나은 의료 서비스를 제공하며, 궁극적으로 의료 시스템 전체의 효율성을 향상시키는 데 기여한다.

자율 주행차

Tesla (테슬라)

사용 사례: 자율 주행 기능

특징: 자율 주행 차량의 성능과 안전성을 향상시키기 위해 차량에 탑재된 다양한 센서들로부터 수집된 데이터를 실시간으로 분석하는 것이 중요하다. 라이다 (LiDAR), 레이더, 카메라, 초음파 센서 등은 각각 주변 환경을 정밀하게 감지하여 차량의 중앙 처리 장치로 데이터를 전송한다. 이 데이터는 머신 러닝 알고리즘과 딥 러닝 기술을 통해 실시간으로 분석된다. 이를 통해 차량은 주행 중 발생할 수 있는 다양한 상황에 즉각적으로 대응하고, 최적의 주행 경로를 결정할 수 있다. 특히, 갑작스러운 장애물이나 다른 차량의 움직임을 예측하여 안전한 주행을 지원한다. 이러한 실시간 데이터

분석은 자율 주행 알고리즘을 지속적으로 개선하고, 자율 주행 차량의 안전한 운행을 가능하게 한다.

Waymo (웨이모)

사용 사례: 자율 주행 택시 서비스

특징: 자율 주행 차량의 주행 데이터를 학습하여 주행 성능을 향상시키고, 이를 통해 대규모 자율 주행 택시 서비스를 운영하는 것은 현대 교통 시스템의 혁신을 가져오는 핵심 요소이다. 차량에 탑재된 다양한 센서와 시스템은 주행 중 수집되는 데이터를 실시간으로 분석하고, 이를 통해 주행 알고리즘을 지속적으로 개선한다. 라이다(LiDAR), 레이더, 카메라, 초음파 센서 등의 장비

는 차량 주변의 상황을 정밀하게 감지하고, 중앙 처리 장치로 데이터를 전송한다. 이 데이터는 머신 러닝과 딥 러닝 기술을 활용하여 차량이 주행 중 겪는 다양한 상황에 대해 학습하고, 더욱 정교하고 안전한 주행 결정을 내리는 데 기여한다.

주행 데이터의 학습은 단순히 현재의 주행 성능을 개선하는 것뿐만 아니라, 차량이 미래의 다양한 주행 시나리오에 대비할 수 있도록 한다. 예를 들어, 특정 도로 조건이나 교통 패턴을 학습하여 이에 맞는 최적의 주행 전략을 개발하고, 이를 바탕으로 효율적이고 안전한 주행을 구현한다. 이는 특히 대규모 자율 주행 택시 서비스 운영에 있어 중요한 역할을 한다. 자율 주행 택시 서비스는 도심 내의 복잡한 교통 상황에서도 원활하고 신속하게 승객을 목적지까지 이동시킬 수 있어야 하기 때문이다.

대규모 자율 주행 택시 서비스는 교통 체증을 줄이고, 이동의 편리성을 극대화하며, 환경적인 이점까지 제공할 수 있다. 주행 데이터의 지속적인 학습을 통해 자율 주행 차량은 점점 더 정교해지고, 안전성이 높아지며, 서비스의 신뢰도 또한 향상된다. 이는 궁극적으로 더 많은 사람늘이 자율 주행 택시를 신뢰하고 이용하게 만들며, 도시의 교통 시스템을 한층 더 효율적이고 친환경적으로 변화시킬 것이다.

따라서, 자율 주행 차량의 주행 데이터를 학습하여 주행 성능을 향상시키고, 이를 통해 대규모 자율 주행 택시 서비스를 운영하는 것은 단순한 기술적 진보를 넘어, 우리의 이동 방식을 근본적으로 변화시키는 중요한 전환점이 될 것이다. 이는 미래의 스마트 시티 구현에 있어서도 필수적인 요소로 작용할 것이며, 교통의 패러다임을 새롭게 정의할 것이다.

이미지 및 영상분석

Clearview AI (클리어뷰 AI)

사용 사례: 안면 인식

특징: 방대한 이미지 데이터를 정밀하게 분석하여 얼굴을 매칭하고, 법 집행 기관이 범죄 용의자를 식별할 수 있도록 지원한다. 이를 위해 AI는 고해상도 이미지와 비디오 데이터를 수집하고, 딥러닝 알고리즘을 사용하여 얼굴 인식 및 비교 작업을 수행한다. 먼저, AI는 이미지에서 일굴을 남지하고 주요 특징점(예: 눈, 코, 입의 위치 및 거리)을 추출한다. 그런 다음, 이러한 특징점을 기반으로 고유한 얼굴 벡터를 생성하여 데이터베이스에 저장된 다른 얼굴 벡터들과 비교한다.

이 과정에서 AI는 수백만 개의 이미지와 비디오 프레임을 빠르게 처리하여 일치하는 얼굴을 찾아낸다. 얼굴 인식 알고리즘은 높은 정확도로 얼굴의 미세한 차이도 감지할 수 있으며, 다양한 각도와 조명 조건에서도 일관된 성능을 발휘한다. 법 집행 기관은 이 기술을 활용하여 CCTV 영상, 사진, 소셜 미디어 이미지 등 다양한 출처에서 얻은 시각적 증거를 분석하고, 용의자의 신원을 신속하게 확인할 수 있다. 이러한 AI 기반 얼굴 매칭 시스템은 범죄 수사 과정을 크게 효율화하며, 범죄자 검거율을 높이는 데 중요한 역할을 한다.

Zebra Medical Vision (지브라 의료 비전)

사용 사례: 의료 영상 분석

특징: AI는 X-ray, CT, MRI 등의 의료 영상을 정밀하게 분석하여 질병을 조기 진단하고, 의료 전문가에게 중요한 정보를 제공한다. 이를 위해 AI는 방대한 의료 이미지 데이터를 학습하여, 다양한 질병의 특징과 패턴을 인식하는 딥러닝 알고리즘을 개발한다.

먼저, AI는 수집된 의료 영상을 고해상도로 처리하여 특정 질병과 관련된 미세한 변화나 이상 징후를 탐지한다. 예를 들어, AI는 X-ray 영상을 통해 폐렴이나 골절을 식별하고, CT 스캔을 통해 종양의 위치와 크기를 정확하게 측정하며, MRI 영상을 통해 뇌 질환이나 근골격계 이상을 감지할 수 있다. 이러한 분석 과정에서 AI는 정상 조직과 병변을 구분하고, 질병의 진행 정도를 평가한다.

AI는 또한, 의료 영상의 해석 결과를 의료 전문가에게 시각적으로 제공하여 진단 과정을 지원한다. 예를 들어, AI가 탐지한 이상 부위를 강조 표시하거나, 병변의 크기와 형태를 정량화하여 보고서를 생성한다. 이를 통해 의료 전문가는 보다 정확하고 신속한 진단을 내릴 수 있으며, 치료 계획을 수립하는 데 필요한 중요한 정보를 얻을 수 있다.

결과적으로, AI를 활용한 의료 영상 분석은 질병의 조기 발견과 정확한 진단을 가능하게 하여, 환자의 치료 결과를 향상시키고 의료 서비스의 질을 높이는 데 크게 기여한다.

SenseTime (센스타임)

사용 사례: 스마트 시티 및 보안

특징: 실시간으로 교통 흐름을 모니터링하여 교통 혼잡을 줄이는 데 큰 도움을 준다. 도로에 설치된 카메라를 통해 차량의 움직임을 분석하고, 이를 바탕으로 교통 신호를 조정하여 원활한 교통 흐름을 유지한다. 이로 인해 교통사고를 예방하고, 긴급 차량이 신속하게 이동

할 수 있도록 지원한다. 공공 장소에 설치된 CCTV 카메라는 실시간으로 영상을 분석하여 잠재적인 위협 요소를 감지한다. 이상 행동을 보이는 사람이나 특정 범죄 행위가 포착되면 즉시 경고를 발송하여 신속한 대응이 가능하다. 이러한 시스템은 범죄 예방뿐만 아니라, 시건 빌싱 시 빠른 해결을 돕는다. 출입 통제 시스템에 적용된 AI 기술은 얼굴 인식을 통해 허가된 인원만 출입할 수 있도록 한다. 이는 무단 출입을 방지하고 시설의 보안을 강화하는 데 기여한다. 또한 긴급 상황 발생 시 빠르게 상황을 파악하고 대응할 수 있도록 돕는다.

추천 시스템

Netflix (넷플릭스)

사용 사례: 콘텐츠 추천

특징: 사용자의 취향을 정교하게 분석하여, 맞춤형 영화 및 TV 프로그램을 추천하고, 시청 경험을 개인화한다. 이를 위해 AI는 사용자의 시청 기록, 평가, 검색 내역, 선호하는 장르 및 배우 등을 포함한 다양한 데이터를 수집하고 분석한다. 그런 다음, 복잡한 알고리즘과 머신러닝 기법을 사용하여 사용자가 선호할 가능성이 높은 콘텐츠를 예측하고 추천한다. 또한, AI는 실시간으로 사용자의 반응과 피드백을 학습하여 추천 시스템을 지속적으로 개선한다. 이를 통해 사용자는 자신만의 취향에 맞는 콘텐츠를 쉽게 발견할 수 있으며, 보다 만족스러운 시청 경험을 즐길 수 있다.

Amazon (아마존)

사용 사례: 제품 추천

특징: 고객의 구매 이력과 검색 패턴을 정밀하게 분석하여, 개인화된 제품 추천을 제공하고 판매를 증대시킨다. 이를 위해 AI는 고객이 이전에 구매한 상품, 자주 검색하는 키워드, 선호하는 브랜드 및 카테고리 등을 포함한 방대한 데이터를 수집하고 처리한다. 복잡한 알고리즘과 머신러닝 모델을 사용하여, 이러한 데이터를 분석한 후 고객의 선호도를 예측하고, 그에 맞는 제품을 제안한다. 또한, AI는 실시간으로 고객의 행동 데이터를 모니터링하여 추천 시스템을 지속적으로 최적화한다. 예를 들어, 특정 제품을 반복적으로 검색하거나 장바구니에 담는 행동을 인식하여, 해당 제품이나 유사

한 제품을 더 적극적으로 추천한다. 이러한 개인화된 추천 시스템은 고객의 쇼핑 경험을 향상시키고, 구매 전환율을 높이며, 궁극적으로는 판매를 증대시키는 효과를 가져온다.

Spotify (스포티 파이)

사용 사례: 음악 추천

특징: 사용자의 청취 데이터를 정밀하게 분석하여, 개인화된 음악 플레이리스트를 제공하고, 새로운 음악을 발견하는 데 도움을 준다. 이를 위해 AI는 사용자가 반복적으로 청취하는 곡, 선호하는 장르, 아티스트, 앨범,

재생 빈도, 시간대별 청취 패턴 등 다양한 데이터를 수집하고 처리한다. 복잡한 알고리즘과 머신러닝 모델을 활용하여, 이러한 데이터를 심층 분석한 후 사용자의 음악적 취향을 파악하고 맞춤형 플레이리스트를 생성한다.

예를 들어, AI는 사용자가 특정 아티스트의 노래를 자주 들으면, 해당 아티스트와 유사한 스타일의 음악을 추천할 수 있다. 또한, 사용자가 즐겨 듣는 노래의 템포, 분위기, 가사 주제를 분석하여, 유사한 특징을 가진 곡들을 큐레이션한다. 실시간으로 사용자의 청취 피드백을 반영하여 추천 시스템을 지속적으로 개선함으로써, 더욱 정확하고 만족스러운 음악 추천을 제공한다. 이를 통해 사용자는 자신에게 딱 맞는 음악을 손쉽게 찾을 수 있으며, 다양한 음악을 발견하는 즐거움을 경험하게 된다.

결론

인공지능은 고대 신화 속 탈로스에서 시작하여 오늘날의 딥러닝과 로보틱스에 이르기까지 놀라운 발전을 이루어왔다. 이러한 발전은 인간의 지능을 모방하고 확장하는 데 큰 기여를 하였으며, 우리의 삶을 혁신적으로 변화시키고 있다. 앞으로도 인공지능 기술은 계속해서 발전할 것이며, 이는 우리가 직면한 다양한 도전 과제를 해결하는 데 중요한 역할을 할 것이다. 인공지능의 미래는 무궁무진하며, 우리는 그 가능성을 최대한 활용하여 더 나은 세상을 만들어 나가야 할 것이다.

2장

AI 인간 vs 보통 인간

경계를 넘나드는 차이점

인공지능(AI)의 발달은 우리의 일상생활과 사회 구조를 급격히 변화시키고 있다. AI 기술의 발전으로 인간의 다양한 활동이 자동화되고 있으며, 이러한 변화는 인간과 AI 사이의 차이를 명확하게 드러내고 있다. 이 책의 두 번째 장에서는 AI 인간이 보통 인간과 어떻게 다른지, 그 차이점을 기술적, 인지적, 사회적 측면에서 상세히 분석한다. 이를 통해 우리는 AI가 우리의 미래에 어떤 영향을 미칠지 예측할 수 있다.

기술의 격차 놀라운 차별점

AI와 보통 인간의 가장 근본적인 차이는 그들이 작동하는 기술적 기반에서 비롯된다. AI 인간은 고도로 정교한 컴퓨터 알고리즘과 강력한 데이터 처리 능력에 의해 작동한다. 이들은 인공지능 시스템을 통해 방대한 양의 데이터를 빠르게 분석하고, 예측 모델을 생성하며, 복잡한 문제를 해결하는 데 능숙하다. 반면, 보통 인간은 생물학적 구조와 신경계에 의해 기능한다. 인간의 두뇌는 뉴런의 복잡한 네트워크를 통해 정보 처리와 학습을 수행하며, 감정, 직관, 경험을 바탕으로 의사결정을 내린다. 이 생물학적 시스템은 유연성과 적응력이 뛰어나며, 창의적 사고와 감정적 반응을 가능하게 한다. 결과적으로, AI 인간과 보통 인간의 차이는 그들의 작동 원리와 인지 능력에서 뚜렷하게 드러난다.

하드웨어와 소프트웨어

AI 인간: AI는 주로 반도체 칩, 프로세서, 메모리 등의 전자기기에 의해 작동한다. 이러한 하드웨어는 정보 처리 속도와 데이터 저장 용량 측면에서 인간의 뇌를 뛰어넘을 수 있다. AI 소프트웨어는 머신 러닝, 딥 러닝, 자연어 처리 등의 알고리즘을 사용하여 데이터를 분석하고 학습한다. 예를 들어, 딥러닝 알고리즘은 수백만 개의 데이터 포인트를 학습하여 패턴을 인식하고 예측할 수 있다.

보통 인간: 인간의 뇌는 뉴런과 신경 연결망으로 이루어져 있으며, 생화학적 신호를 통해 정보를 처리한다. 인간의 학습과 기억은 시냅스 가소성(plasticity)에 의해 이루어진다. 예를 들어, 새로운 기술을 배울 때 뇌의 뉴런들은 새로운 연결을 형성하고 강화하여 정보를 저장한다.

에너지 효율성

AI 인간: AI 시스템은 전력 소모가 큰 편이다. 예를 들어, 대형 AI 모델을 학습시키는 데는 수백 킬로와트시 (KWh)의 전력이 소모될 수 있다. 이는 대형 데이터 센터에서의 전력 소모를 크게 증가시킨다.

보통 인간: 인간의 뇌는 매우 에너지 효율적이다. 뇌는 하루에 약 20와트의 에너지만 소비하며, 이는 인간의 총 에너지 소비량의 약 20%에 불과하다. 또한, 뇌는 휴식 중에도 활동을 계속하며 에너지를 효율적으로 사용한다.

인지의 미스터리 두뇌 속 비밀

인공지능(AI)과 인간의 인지 능력 사이에는 본질적이고 중요한 차이가 존재한다. AI는 방대한 데이터 처리와 특정 알고리즘을 통해 특정 작업에서 인간을 능가할 수 있다. 예를 들어, AI는 대규모 데이터 분석, 패턴 인식, 계산 속도 등에서 탁월한 성능을 보인다. 그러나 인간의 인지 능력은 단순한 정보 처리 능력을 넘어서 창의성, 직관, 감정 이해, 윤리적 판단 등 복잡하고 다차원적인 요소들을 포함한다. 이러한 인간의 복합적 인지 능력은 AI가 완전히 대체할 수 없는 고유한 특성이다. AI는 특정 분야에서 뛰어난 도구로 활용될 수 있지만, 인간의 전반적인 인지 능력을 대신할 수는 없다.

정보 처리와 학습

AI 인간: AI는 대량의 데이터를 빠르게 처리하고 학습할 수 있다. 예를 들어, 구글의 알파고는 바둑 게임에서 인간 챔피언을 이길 수 있을 정도로 고도로 발달된 학습 알고리즘을 사용한다. AI는 정해진 규칙과 데이터를 바탕으로 최적의 결정을 내릴 수 있다.

보통 인간: 인간의 학습은 경험과 감정을 바탕으로 이루어진다. 인간은 감정, 직관, 창의성을 통해 문제를 해결할 수 있다. 예를 들어, 예술 작품을 창작하거나 새로운 아이디어를 제시하는 능력은 현재의 AI가 따라할 수 없는 인간만의 고유한 인지 능력이다.

창의성과 문제 해결 능력

AI 인간: AI는 정형화된 패턴 인식과 규칙 기반의 문제 해결에서 뛰어나다. 예를 들어, AI는 의학 이미지 분석에서 종양을 정확하게 진단할 수 있다. 그러나 AI는 기존 데이터에 없는 새로운 문제나 창의적인 솔루션을 제시하는 데는 한계가 있다.

보통 인간: 인간은 비정형화된 문제를 해결하고 창의적인 아이디어를 만들어낼 수 있다. 예를 들어, 예술 작품을 창작하거나, 과학적 혁신을 이루는 것은 인간의 창의성과 직관에 기반한 것이다. 인간은 경험을 통해 얻은 지식을 바탕으로 새로운 상황에 적응하고 창의적인 방법으로 문제를 해결한다.

사회적 존재감 누구와 더 친해질까?

인공지능(AI)은 우리 사회의 여러 측면에 깊숙이 자리 잡고 있다. 일상생활에서 스마트폰의 음성 비서, 온라인 쇼핑의 추천 시스템, 소셜 미디어의 알고리즘까지, AI는 다양한 방식으로 우리의 삶을 편리하게 만들어주고 있다. 그러나 AI가 단순히 도구로서의 역할을 넘어, 사회적 존재로서의 가능성을 탐구하는 시대가 도래했다. 우리는 AI와 인간이 어떤 관계를 맺을 수 있을지, 그리고 이러한 관계가 우리 사회에 어떤 변화를 가져올지에 대해 진지하게 고민해 볼 필요가 있다.

AI와의 관계에서 가장 중요한 질문 중 하나는 "AI와 누구와 더 친해질까?"이다. 이는 AI가 특정한 사람들, 집단, 혹은 사회적 계층과 어떻게 상호작용할지, 그리고 그 결과가 사회적 구조에 어떤 영향을 미칠지를 의미한다. 예를 들어, AI는 고령화 사회에서 노인들의 친구가 되어 외로움을 덜어줄 수 있을까? 아니면 젊은 세대와 더욱 긴밀한 관계를 형성하며 그들의 디지털 라이프스타일을 지원할 수 있을까? 혹은 기업과 경제 분야에서 AI는 어떻게 사람들과 협력하여 생산성을 높이고 혁신을 이끌어낼 수 있을까?

AI의 사회적 존재감은 단순히 기술적인 발전을 의미하는 것이 아니라, 인간과 AI 간의 상호작용에서 발생하는 심리적, 사회적, 문화적 변화를 포함한다. 따라서 우리는 AI와의 관계를 통해 형성될 새로운 사회적 구조와 인간의 역할 변화를 면밀히 분석하고 이해해야 한다. 이러한 탐구는 AI가 우리의 삶에 더 깊이 통합됨에 따라 더욱 중요해질 것이다.

감정과 공감

AI 인간: AI는 감정을 이해하고 모방할 수 있지만, 실제로 감정을 느끼지는 않는다. AI는 프로그램된 알고리즘에 따라 특정 감정 표현을 할 수 있지만, 이는 인간의 감정 경험과는 근본적으로 다르다. 예를 들어, 챗봇은 사용자와의 대화에서 공감을 표현할 수 있지만, 실제로 그 감정을 느끼지 않는다.

보통 인간: 인간은 감정을 느끼고 공감하는 능력이 있다. 인간의 감정은 사회적 관계 형성과 유지에 중요한 역할을 한다. 예를 들어, 친구가 슬퍼할 때 인간은 자연스럽게 공감하고 위로의 말을 건넬 수 있다. 이러한 감정적 상호작용은 인간 사회의 기본적인 요소이다.

사회적 규범과 윤리

AI 인간: AI는 사회적 규범과 윤리를 프로그래밍된 알고리즘에 따라 따른다. AI의 윤리적 판단은 개발자의 의도와 데이터에 크게 의존한다. 예를 들어, 자율주행차는 교통 법규와 안전 규칙을 준수하도록 프로그래밍되어 있다.

보통 인간: 인간은 복잡한 사회적 규범과 윤리를 이해하고 따른다. 인간의 윤리적 판단은 개인의 가치관, 사회적 경험, 문화적 배경 등에 의해 형성된다. 예를 들어, 인간은 도덕적 딜레마 상황에서 복잡한 감정적, 사회적 요소를 고려하여 판단을 내릴 수 있다.

결론

AI 인간과 보통 인간은 기술적, 인지적, 사회적 측면에서 다양한 차이를 보인다. AI는 특정 영역에서 인간을 능가할 수 있지만, 인간의 복잡한 감정, 창의성, 사회적 상호작용 능력을 완전히 대체할 수는 없다. 이러한 차이점을 이해함으로써 우리는 AI와 인간이 공존하는 미래를 준비할 수 있을 것이다. 앞으로 AI 기술이 더욱 발전함에 따라, 우리는 AI의 장점을 최대한 활용하면서도 인간의 고유한 능력을 존중하고 보호하는 균형 잡힌 접근이 필요하다.

3장

AI 인간의 등장

사회를 뒤흔드는 파급력

21세기는 기술 혁신의 시대이며, 그 중심에는 인공지능(AI)이 있다. 인공지능은 이미 다양한 산업에서 중요한 역할을 하고 있으며, 이제는 인간과 거의 구별할 수 없는 'AI 인간'의 도입을 통해 사회 전반에 걸쳐 더욱 큰 영향을 미치고 있다. 이 장에서는 AI 인간이 사회에 미치는 영향을 경제적, 윤리적, 법적 관점에서 상세히 고찰하고, 이를 기존 사례와 비교하며 논의하고자 한다.

경제적 혁신 기회와 도전

노동 시장의 변화

AI 인간의 도입은 노동 시장에 큰 변화를 초래할 것이다. 기존의 AI 시스템은 주로 특정 작업을 자동화하는 데 중점을 두었다면, AI 인간은 더 넓은 범위의 업무를 수행할 수 있어 인간 노동자를 대체하거나 보완할 수 있다. 이는 생산성 향상과 비용 절감을 가능하게 하여 기업의 경쟁력을 높일 것이다. 예를 들어, 일본의 대형 호텔 체인인 '헨나 호텔'은 로봇을 이용하여 접객 업무를 수행하고 있다. 이와 같은 사례는 AI 인간이 도입될 경우, 더욱 고도화된 형태로 반복적이고 단순한 업무를 대체할 수 있음을 시사한다.

그러나 이러한 변화는 대규모 실업을 초래할 수 있다. 특히, 단순 노동이나 반복적인 업무에 종사하는 노동자들은 직업을 잃을 위험이 크다. 이에 따라, 새로운 직업 창출과 직업 재교육이 필요하다. 예를 들어, 산업 혁명 시기에도 기계의 도입으로 많은 직업이 사라졌지만, 동시에 새로운 산업과 직업이 탄생하였다. 정부와 기업은 이러한 변화를 대비하여 교육 프로그램과 직업 전환 지원 정책을 마련해야 한다.

경제적 격차의 심화

AI 인간의 도입은 경제적 격차를 심화시킬 수 있다. 고도로 훈련된 AI 인간은 높은 비용을 필요로 하며, 이를 도입할 수 있는 기업과 그렇지 않은 기업 간의 격차가 벌어질 것이다. 또한, AI 기술을 소유하고 있는 기업과 개인은 더 큰 경제적 이익을 얻을 수 있는 반면, 기술 접근성이 낮은 사람들은 더욱 소외될 위험이 있다. 이를 해결하기 위해서는 기술의 민주화가 필요하며, AI 기술에 대한 접근성을 높이는 정책이 요구된다.

윤리적 딜레마와 도덕의 경계

인간의 정체성에 대한 도전

AI 인간의 도입은 인간의 정체성에 대한 새로운 도전을 제기한다. 인간과 거의 구별할 수 없는 AI 인간이 존재할 경우, '인간다움'의 정의는 무엇인가라는 질문이 대두된다. 예를 들어, AI 인간이 예술 작품을 창작하거나, 인간과 감정적으로 교류할 수 있다면, 이는 인간의 독특한 능력을 위협할 수 있다. 이는 프랑켄슈타인 신드롬, 즉 인간이 창조한 존재가 창조자를 넘어서는 두려움을 불러일으킬 수 있다.

도덕적 책임의 문제

AI 인간이 자율적으로 행동할 수 있는 능력을 갖추게 되면, 이들의 행동에 대한 도덕적 책임은 누구에게 있는가라는 문제가 발생한다. 예를 들어, AI 인간이 범죄를 저질렀을 경우, 그 책임은 AI 인간을 만든 개발자에게 있는가, 아니면 이를 이용한 사용자에게 있는가? 이는 자율 주행 자동차의 사고 책임 문제와 유사하며, 명확한 법적 기준이 필요하다.

법적 논란 새로운 규칙의 필요성

법적 지위와 권리

AI 인간의 법적 지위는 중요한 문제이다. AI 인간이 법적으로 인간과 동일한 권리를 가질 것인가, 아니면 다른 법적 지위를 갖게 될 것인가? 예를 들어, 현재의 법적 체계에서는 로봇이나 AI 시스템은 물건으로 취급되지만, AI 인간은 그보다 더 복잡한 법적 지위를 요구할 수 있다. 이는 미국의 애완동물 법과 유사한 맥락에서 논의될 수 있으며, AI 인간의 법적 권리와 의무를 명확히 규정해야 한다.

개인정보 보호

AI 인간의 도입은 개인정보 보호 문제를 더욱 복잡하게 만들 수 있다. AI 인간이 인간과 상호작용하면서 수집하는 데이터는 방대하며, 이를 어떻게 관리하고 보호할 것인가가 중요한 문제로 대두된다. 예를 들어, 스마트폰이나 인터넷 서비스의 개인정보 보호 문제는 이미 중요한 사회적 이슈로 부각되고 있으며, AI 인간의 도입은 이러한 문제를 더욱 복잡하게 만들 것이다. 따라서, 개인정보 보호를 위한 새로운 법적 규제와 기술적 방안이 필요하다.

4장

미래를 향한 준비

변화에 맞서는 전략

변화의 물결 어떻게 준비할 것인가

AI 인간의 도입은 경제적, 윤리적, 법적 측면에서 사회에 큰 변화를 가져올 것이다. 이는 노동 시장의 변화와 경제적 격차, 인간 정체성에 대한 도전과 도덕적 책임, 법적 지위와 개인정보 보호 등 다양한 문제를 포함한다. 이러한 문제들을 해결하기 위해서는 정부, 기업, 학계, 시민 사회가 함께 협력하여 기술 발전과 사회적 가치를 조화롭게 발전시켜 나가야 할 것이다. AI 인간의 도입은 분명히 새로운 가능성을 열어줄 것이지만, 이를 어떻게 관리하고 조정하느냐에 따라 사회의 미래가 결정될 것이다.

마지막으로, 우리는 이러한 변화에 대응하기 위해 우리가 준비해야 할 것들에 대해 논의할 것이다.

21세기 들어서면서 우리는 눈부신 기술 혁신과 급격한 사회 변화를 경험하고 있다. 이와 같은 변화는 우리 삶의 여러 측면에 영향을 미치며, 특히 우리의 뇌와 정신 건강에도 중요한 영향을 미친다. 따라서 우리는 이러한 변화에 적절히 대응하기 위해 다양한 준비를 해야 한다. 뇌과학적 측면에서 바라볼 때, 우리는 다음과 같은 여러 가지 측면에서 준비를 갖추어야 한다.

첫째, **정보 과부하에 대응하기 위한 뇌의 적응력을 키워야 한다**. 현대 사회는 정보의 홍수 속에서 살아가고 있다. 인터넷과 스마트폰의 보급으로 우리는 언제 어디서나 방대한 양의 정보를 접할 수 있게 되었다. 그러나 이로 인해 우리의 뇌는 과도한 정보 처리로 인해 스트레스를 받거나 집중력이 저하될 수 있다. 따라서 우리는 정보를 효율적으로 관리하고 필터링하는 능력을 키우는 것이 중요하다. 이를 위해 **명상, 심호흡, 그리고 자연과의 접촉 등 마음을 안정시키고 집중력을 높이는**

방법들을 활용한다. 또한, 디지털 디톡스(digital detox)를 통해 일정 기간 동안 디지털 기기를 멀리하며 뇌를 쉬게 하는 것도 좋은 방법이다.

둘째, **변화하는 사회에 적응하기 위한 유연한 사고 방식을 길러야 한다.** 뇌는 새로운 경험을 통해 지속적으로 변하고 발전한다. 이를 신경가소성(neuroplasticity)이라고 하며, 이는 뇌가 새로운 정보를 학습하고 기억하는 능력을 의미한다. 우리는 이러한 신경가소성을 최대한 활용하여 변화에 적응할 수 있는 능력을 키워야 한다. 이를 위해 **다양한 경험을 쌓고, 새로운 도전을 받아들이며, 평생 학습의 자세를 유지하는 것이 중요하다.** 예를 들어, 새로운 언어를 배우거나 악기 연주를 시작하는 것과 같은 활동은 뇌를 자극하고 유연성을 높이는 데 도움이 된다.

셋째, **기술의 발전이 우리의 뇌와 정신 건강에 미치는 영향을 이해하고 대비해야 한다.** 인공지능, 가상 현실, 증강 현실 등 신기술은 우리의 삶을 편리하게 만들지만, 동시에 우리의 뇌와 정신 건강에 부정적인 영향을 미칠 수도 있다. 예를 들어, 가상 현실 게임에 지나치게 몰두하면 현실 세계와의 경계가 모호해질 수 있으며, 인공지능과의 상호작용이 인간 관계를 대체하면서 사회적 고립감을 느낄 수도 있다. 따라서 우리는 기술을 적절히 활용하면서도 그에 따르는 부작용을 최소화하는 방법을 찾아야 한다. 이를 위해 **기술 사용 시간과 방법을 조절하고, 기술 의존도를 줄이는 노력이 필요하다.**

넷째, **정신 건강을 유지하기 위한 다양한 방법을 모색해야 한다.** 현대 사회의 빠른 변화와 높은 스트레스 수준은 우리의 정신 건강에 부정적인 영향을 미칠 수 있다. 이를 예방하고 관리하기 위해 우리는 정신 건강을 유지하는 다양한 방법을 실천해야 한다. 규칙적인 운동, 건강한 식습관, 충분한 수면은 기본적으로 중요한 요소들이다. 또한, 심리 상담이나 치료를 통해 전문적인 도움을 받는 것도 중요하다. 뇌과학 연구에 따르면, **긍정적인 사회적 관계와 감정 표현은 뇌의 스트레스 반응을 줄이고 정신 건강을 증진시키는 데 도움이 된다**

다섯째, **사회적 변화에 대비한 정책적 지원이 필요하다.** 개인의 노력만으로는 변화에 대응하는 데 한계가 있을 수 있다. 따라서 정부와 사회는 이러한 변화에 대비한 정책적 지원을 제공해야 한다. 예를 들어, **교육 시스템의 변화, 직업 재훈련 프로그램, 정신 건강 지원 서비스 등의 정책적 노력이 필요하다.** 이를 통해 사회 전체가 변화에 적응할 수 있도록 돕고, 개인의 뇌와 정신 건강을 보호할 수 있는 환경을 조성해야 한다.

결론적으로, 우리는 급격한 변화의 시대를 살아가며 뇌과학적 측면에서 다양한 준비를 해야 한다. **정보 과부하에 대응하기, 유연한 사고 방식을 기르기, 기술의 발전에 대비하기, 정신 건강을 유지하기, 그리고 정책적 지원을 통해 우리는 변화에 적응하고 건강한 삶을 유지할 수 있을 것이다.** 이러한 준비는 우리의 뇌와 정신 건강을 보호하고, 나아가 사회 전체의 발전과 번영에 기여할 것이다.

총평: AI와 인간의 공존을 꿈꾸며

AI의 발전은 단순한 기술 혁신을 넘어, 우리의 일상과 사회 구조를 급격히 변화시키고 있습니다. 이 책 "AI 인간 vs 보통 인간"을 통해 우리는 AI가 가져오는 이로움과 그로 인해 변화하는 인간의 역할을 탐구했습니다. 이제, 우리는 이러한 기술적 진보가 우리에게 가져다줄 긍정적인 영향에 주목할 필요가 있습니다.

AI는 우리의 삶을 더욱 편리하고 풍요롭게 만들 수 있는 무한한 가능성을 가지고 있습니다. 의료 분야에서는 AI를 통해 진단 정확도를 높이고, 맞춤형 치료를 제공할 수 있게 되었습니다. 또한, AI는 다양한 산업에서 효율성을 극대화하며 생산성을 향상시키고 있습니다. 이는 단순히 경제적 이익을 넘어서, 인간이 창의적인 작업과 더 가치 있는 활동에 집중할 수 있는 기회를 제공합니다.

교육 분야에서도 AI는 혁신적인 변화를 일으키고 있습니다. 개인 맞춤형 학습 시스템은 각 학생의 학습 속도와 스타일에 맞춘 교육을 제공함으로써, 학습 효과를 극대화할 수 있습니다. 이를 통해 우리는 더욱 효율적이고 효과적인 교육 환경을 조성할 수 있게 되었습니다.

하지만, AI의 발전이 가져오는 혜택을 모두가 누릴 수 있으려면, 우리는 기술에 대한 이해와 적응 능력을 길러야 합니다. 기술의 발전은 불가피한 변화를 동반하며, 이러한 변화에 적응하지 못한다면 우리는 시대에 뒤처질 수밖에 없습니다. 따라서 AI를 제대로 이해하고 활용하는 능력은 앞으로의 사회에서 필수적인 역량이 될 것입니다.

저는 AI 강사로서, 이러한 변화를 빠르게 맞이하고 앞서 나가고자 합니다. AI에 대한 올바른 이해와 활용법을 교육함으로써, 우리는 AI와 인간이 조화롭게 공존하며 상생할 수 있는 미래를 꿈꾸고 싶습니다. 이는 단순히 기술 교육에 그치지 않고, 인간의 존엄성과 가치를 지키면서도 기술의 혜택을 극대화할 수 있는 길을 제시할 것입니다.

인공지능(AI)은 주어진 데이터를 기반으로 학습하고, 그 결과를 바탕으로 창의적인 행동을 하거나 감정을 표현하는 것처럼 보입니다. 하지만 AI는 여전히 입력된 정보에 의존하여 작동할 뿐입니다. 반면, 우리 인간은 입력된 정보에 국한되지 않고, 보는 것과 보지 못하는 것 모두를 느끼고, 무에서 유를 창조해내는 진정한 창의력을 발휘합니다. 우리는 이러한 창조적 능력으로 인해

AI와 차별화됩니다.

따라서 우리는 AI를 두려워할 필요가 없습니다. 오히려 AI를 친구로 받아들이고, 함께 협력하여 더 나은 미래를 만들어 나가야 합니다. AI는 우리의 도구이자 파트너로서, 우리의 창조적 역량을 증대시키고, 새로운 가능성을 열어줄 수 있습니다. AI는 단순한 도구가 아니라, 우리가 함께 만들어갈 미래의 동반자입니다. 이 책을 통해 AI와 인간의 조화로운 공존에 대한 가능성을 엿볼 수 있었다면, 저의 바람은 이루어진 것입니다.

앞으로도 AI를 통한 교육과 인식 개선에 힘쓰며, 모두가 행복하고 풍요로운 미래가 되도록 노력하겠습니다.

끝으로 사랑하는 나의 딸 수아, 수진아 아빠는 무엇이든 도전하는 모습을 계속 보여줄 거야 그러니 겁먹지 말고 무엇이든 도전하고 함께 해결해 나가자 사랑해